Creatief koken met Leffe | *Cuisine Creative à la Leffe*

Creatief koken met Leffe

Cuisine Creative à la Leffe

Alle recepten in dit boek werden bereid
voor 4 personen.

De klokjes naast het recept duiden de
tijdsduur van bereiding aan.

De koksmutsen naast het recept duiden de
moeilijkheidsgraad van bereiding aan:
1 koksmuts betekent eenvoudig,
2 koksmutsen iets moeilijker,
3 koksmutsen moeilijk.

---

*Toutes les recettes dans ce livre ont été
préparées pour 4 personnes.*

---

*Les minuteries à côté de la recette indiquent
la durée de la préparation.*

---

*Les toques à côté de la recette indiquent
le degré de difficulté de la préparation:
1 toque signifie simple,
2 toques un peu plus difficile,
3 toques difficile.*

Inhoud | *Contenu*

Hoofdgerechten
Plats

Nagerechten
Desserts

Leffe

Een lekker potje Leffe-genoegens...

En feitelijk zit daar alles in vervat.
Lekker koken is écht plezierig! Zowel voor de kok als voor zijn gasten.
Goede keuken schept een sfeer van gemoedelijkheid en geluk aan tafel. Er bestaat geen betere plaats voor goede gesprekken, blijk van vertrouwen en genegenheid dankzij het goede gevoel aan tafel. Tal van afspraken worden afgesloten bij een lekkere maaltijd, de familiale "nestwarmte" wordt er door benadrukt en jawel, de meeste liefdesverklaringen en warme beloftes krijgen vorm dankzij de tafel.
Aan tafel nemen mensen tijd voor elkaar. En daar past Leffe wonderwel bij.

Meer en meer denken we na over onze voeding en dankzij deze bewustwording is het koken steeds meer een stomende en swingende bezigheid geworden.
Na fastfood herontdekten de mensen slowfood. Het prettige gevoel om origineel en evenwichtig te koken wordt in dit boek heel duidelijk uit de doeken gedaan.
Koken met Leffe geeft mij persoonlijk een bijzondere voldoening.
Blond of Bruin, 't maakt niet uit. Geen betere uitspraak dan
"Gezondheid !"

Les plaisirs de saveurs à la Leffe...

Voilà qui résume tout cet opuscule.
Bien cuisiner est un vrai plaisir! Aussi bien pour le cuisinier que pour ses hôtes.
Une bonne cuisine crée une ambiance de cordialité et de bonheur à table. Grâce à ce sentiment de bonhomie il n'y a pas de meilleure place pour une bonne conversation, qui est faite de confiance et de sympathie.
Bien des accords sont conclus à l'occasion d'un bon repas. La bonne table accentue le bien-être familial et favorise la plupart des déclarations d'amour et des promesses chaleureuses.
A table, les gens se donnent le temps. Une Leffe trouve sa place dans ce contexte.

Nous réfléchissons de plus en plus à notre alimentation et grâce à cette prise de conscience l'art culinaire est devenu de plus en plus inspiratrice et enthousiasmante.
Après le *fast-food* les gens redécouvrent le *slow-food*. Le plaisir de cuisiner de façon originale et équilibrée est tout à fait évident dans ce livre.
Cuisiner avec une Leffe me donne personnellement une satisfaction spéciale.
Blonde ou Brune, peu importe. Il n'y a pas de meilleur toast que
"A votre santé !"

Guy Van Cauteren
Meesterkok | Maître cuisinier
"'t Laurierblad"
Berlare
www.laurierblad.com

GESCHIEDENIS VAN LEFFE

De geschiedenis van de Abdij van Leffe gaat terug tot de 12e eeuw. Ze vindt haar oorsprong net buiten de stad Dinant, op de plek waar het riviertje "Leffe" in de Maas stroomt.

In 1152 schonk de toenmalige graaf van Namen, Hendrik, de gronden bij de monding van de Lefferivier aan de abt van Floreffe. De abt moest in ruil een aantal geestelijken naar de Onze-Lieve-Vrouwkerk van Leffe sturen om daar een Norbertijnerklooster te stichten.

Dat gebeurde – en rond 1200 kreeg het klooster van Onze-Lieve-Vrouw de naam Abdij van Leffe, een naam die de abdij nog steeds draagt.

De kundige en vrome paters zorgden niet alleen voor een religieuze heropleving in de streek, ze bouwden ook in snel tempo de abdij uit en kochten gronden in de

HISTOIRE DE LEFFE

L'histoire de l'abbaye de Leffe remonte au XIIe siècle. Elle est née près de Dinant, à l'endroit où la petite rivière, la Leffe, se jette dans la Meuse.

En 1152, Henri, comte de Namur, céda les terres près de l'embouchure de la Leffe à l'abbé de Floreffe. En contrepartie, cet abbé devait envoyer un certain nombre de ses ecclésiastiques à l'église de Notre-Dame de Leffe, pour y fonder un couvent de l'ordre de Prémontré.

Ce qui se fit – et aux environs de 1200 l'abbaye de Notre-Dame reçut le nom d'Abbaye de Leffe, nom qu'elle porte toujours. Les pères habiles et dévots n'ont pas seulement contribué à une renaissance religieuse dans la région, ils ont également agrandi l'abbaye en peu de temps et ont acheté des terres dans les environs, avec un moulin, une boulangerie

buurt met een molen, een bakkerij en een hopakker. Uit het kristalheldere water van eigen bron en de fijnste mout en hop brouwden ze vanaf 1240 een bijzonder bier. Alhoewel voedsel en drank in abdijen en kloosters in de eerste plaats voor de eigen gemeenschap werd gemaakt, kreeg het bier van Leffe ook buiten de kloostermuren een goede reputatie.

De Norbertijnen leven volgens de regel van Sint Augustinus, die hen de opdracht geeft goede werken te vervullen. Ze verzorgen zieken, helpen de armen en onderwijzen de kinderen. Al snel lieten de paters het brouwen zelf dan ook over aan leken, maar steeds onder hun streng toezicht. Met de opbrengst van het bier konden zij de abdij verder uitbouwen en deze goede werken bekostigen. Het was vooral abt-bouwheer Perpète Renson die in de eerste helft van de 18de eeuw zorgde voor uitbreiding en renovatie van de brouwerij.

et un champ de houblon. A partir de l'eau cristalline de leur propre source, du malt le plus fin et du houblon, ils ont brassé dès 1240 une bière spéciale. Bien que les aliments et les boissons fussent produits en premier lieu pour la communauté elle-même, la bière de Leffe acquit bien vite une excellente réputation en dehors de l'abbaye.

Les Prémontrés vivent selon la règle de Saint Augustin, qui leur commande de faire des oeuvres de charité. Ils soignent les malades, aident les pauvres et éduquent les enfants. Assez rapidement donc, les moines ont confié la brasserie à des laïcs, mais toujours sous leur stricte supervision. Grâce au rendement de la bière, ils ont pu développer l'abbaye et financer leurs bonnes oeuvres. Ce fut surtout l'abbé-architecte Perpète Renson qui a développé et rénové la brasserie pendant la première moitié du dix-huitième siècle.

Maar de Oostenrijkse huzaren in 1735 en vooral Franse revolutionairen in 1796 laafden eerst hun dorst en vernielden daarna brouwerij en klooster. Met de Franse revolutie werd de abdij opgeheven en de gebouwen en gronden werden tot staatseigendom verklaard.

De abdij kende in de 19de eeuw vele, meestal privé-eigenaars tot in 1904 verbannen Franse monniken van Saint-Michel de Frigolet er zich vestigden. Tijdens WOI werden de paters echter gedood door Duitse soldaten.

Een aantal Norbertijnen van de bijna volledig afgebrande abdij van Tongerlo kwam uiteindelijk in 1929 in Leffe terecht en probeerde zowel de kloostergemeenschap als de gebouwen een nieuw elan te geven. Maar de financiële armslag was niet groot en in 1952 werd meesterbrouwer Albert Lootvoet uit Overijse gevraagd om voor de abdij opnieuw bier van Leffe te brouwen.

Zo werd al datzelfde jaar de Leffe Bruin op de markt gebracht, gebrouwen volgens de vroegere traditie.

Meteen het begin van een succesverhaal.

De geschiedenis van het bier en van de abdij zelf wordt geïllustreerd in het kleine Leffe-museum net tegenover de Abdij van Leffe in Dinant. Een gids geeft aan de hand van een interactieve tentoonstelling toelichting bij het boeiende verhaal van Leffe. En uiteraard kunt u proeven…

Mais les hussards autrichiens en 1735 et surtout les révolutionaires français en 1796 ont détruit la brasserie et l'abbaye, après s'être désaltérés. A la Révolution française, l'abbaye fut abolie et les bâtiments et les terres furent confisqués par l'Etat.

Au cours du dix-neuvième siècle, l'abbaye a connu plusieurs propriétaires, le plus souvent des particuliers, jusqu'à ce qu'en 1904 les moines français exilés de Saint-Michel de Frigolet s'y soient établis. Pendant la première guerre mondiale ces moines ont été tués par des soldats allemands.

Après l'incendie particulièrement dévastateur de leur abbaye de Tongerlo, plusieurs Prémontrés sont finalement arrivés à Leffe en 1929. Ils ont essayé de donner un nouvel élan à la communauté religieuse comme aux bâtiments. Mais leurs possibilités financières furent modestes et en 1952 le maître brasseur Albert Lootvoet d'Overijse fut invité par l'abbaye à brasser de nouveau la bière de Leffe.

Cette même année la Leffe Brune fut commercialisée, brassée selon la vieille tradition. Ce fut le début d'un grand succès.

L'histoire de la bière et de l'abbaye est illustrée dans le petit musée de Leffe en face de l'abbaye de Leffe à Dinant. A l'aide une exposition interactive, un guide commente l'histoire captivante de Leffe. Et bien sûr, une degustation est prévue.

Info en openingsuren:
Information et heures d'ouverture:
082/647583

Leffe

TEGENWOORDIG BESTAAN ER NOG STEEDS VIER SOORTEN ABDIJBIER VAN LEFFE

LEFFE BRUIN

Leffe Bruin is een kwaliteitsbier met hoge gisting en een alcoholgehalte van 6,5%. De ingrediënten: donkere, geroosterde mout, maïs, water, hop en gist geven het bier zijn mooie, herfstbruine kleur. Dit bier wordt geschonken bij een temperatuur van 5 à 6°C, als kwaliteitsbier op fles of uit het vat. In het boeket proeft u een zweempje rijpe appel. Bij normale keldertemperatuur ontwikkelt de smaak zich prachtig, van zacht fruitig tot bruine suiker en de afdronk is licht gekruid.

LEFFE BLOND

Leffe Blond is een kwaliteitsbier met hoge gisting. De ingrediënten: lichte mout, maïs, water, hop en gist geven een mooie gouden, stralende kleur aan het bier. Het alcoholgehalte is 6,6%. Dit kwaliteitsbier moet worden geschonken bij een temperatuur van 5 à 6°C op fles of uit het vat. De smaak is vol, zacht en fruitig (met een zweempje bittere sinaasappel), de afdronk is krachtig en verbazend.

LEFFE TRIPEL

Leffe Tripel is een kwaliteitsbier met hoge gisting, nagegist in de fles. De ingrediënten: mout, maïs, water, hop en gist geven aan het bier zijn goudbruine kleur. Het alcoholgehalte bedraagt 7% bij het bottelen, na nagisting in de fles wordt een alcoholgehalte van 8,5% bereikt. De ideale temperatuur is 5 à 6°C en wordt geschonken op fles. Leffe Tripel heeft een rijk boeket met een zweempje citroen, middelmatig tot vol van smaak en een heerlijke aromatische afdronk.

LEFFE RADIEUSE

Leffe Radieuse is een kwaliteitsbier met hoge gisting. De ingrediënten: donkere mout, maïs, water, hop, specerijen (onder andere koriander) en gist geven de goudbruine kleur aan het bier. Het alcoholgehalte is 8,2%, de ideale temperatuur is 5 à 6°C en het bier wordt geschonken op fles. Leffe Radieuse heeft een rijk boeket en romig schuim. De smaak is krachtig, fruitig, zacht, met een lichte toets van gedroogde hop. De afdronk is lang en warm. Dit is een zeer complex bier voor de echte fijnproever!

LA BIÈRE DE L'ABBAYE DE LEFFE EXISTE TOUJOURS EN QUATRE VARIÉTÉS

LEFFE BRUNE

La Leffe Brune est une bière de qualité de haute fermentation et contient 6,5% d'alcool. Les ingrédients, malt foncé, maïs, eau, houblon et levure donnent à la bière sa belle robe brune et automnale. Cette bière de qualité est servie à une température de 5° à 6° C, en bouteille ou au fût. Son bouquet évoque un soupçon de pomme mûre. A la température de cave la saveur se développe merveilleusement, d'une nuance délicatement fruitée allant jusqu'à la cassonade. Légèrement épicée en fin de bouche.

LEFFE TRIPLE

La Leffe Triple est une bière de qualité de haute fermentation, avec une seconde fermentation dans la bouteille. Les ingrédients, malt, maïs, eau, houblon et levure donnent à la bière sa robe mordorée. La teneur en alcool est de 7% à la mise en bouteille; après la seconde fermentation en bouteille, la Leffe Triple atteint une teneur en alcool de 8,5%. La température idéale pour servir cette bière en bouteille est de 5° à 6° C. La Leffe

LEFFE BLONDE

La Leffe Blonde est une bière de qualité de haute fermentation. Les ingrédients, malt clair, maïs, eau, houblon et levure donnent à la bière sa belle robe dorée et radieuse. La teneur en alcool est de 6,6%. Cette bière de qualité doit être servie à une température de 5° à 6° C, en bouteille ou au fût. La saveur est pleine, ronde en bouche, bien balancée, douce et fruitée (avec un léger soupçon d'orange amère). Vigoureuse et étonnante en fin de bouche.

LEFFE RADIEUSE

La Leffe Radieuse est une bière de qualité de haute fermentation. Les ingrédients, malt sombre, maïs, eau, houblon, épices (e.a. coriandre) et levure donnent à la bière sa robe mordorée. La teneur en alcool est de 8,2%. La température idéale est de 5° à 6° C. La Leffe Radieuse est servie en bouteille. Elle possède un bouquet puissant et une mousse crémeuse. Le goût est puissant, fruité, doux, avec une touche légère de houblon séché. L'arrière-bouche est longue et chaude. Une bière très complexe, pour le vrai connaisseur.

LEFFE AAN TAFEL

De productkeuken is de nieuwste trend in de culinaire wereld. Daarbij wordt een aantal natuurlijke en kwalitatief hoogstaande ingrediënten in de receptuur gebruikt om hun smaak ten volle te laten primeren.
In deze trend van 'basic cooking' past het bereiden van maaltijden met Leffe volledig, in de eerste plaats als ideale drank om te serveren bij een zeer divers gamma aan maaltijden, in de tweede plaats om het bier te verwerken in de recepten.

Leffe zelf wordt immers gebrouwen in de oude traditie als een bier met hoge gisting en met een alcoholpercentage van minstens 6,5%. Dat maakt dat het bier in zijn vier variëteiten – Blond, Bruin, Tripel, Radieuse – rijk is aan sterke geuraroma's en smaaksensaties.

Zo past een Leffe Blond uitstekend bij allerlei salades en (gerookte) ham en verhoudt zich wonderwel tot vissoorten als kabeljauw, tong, wijting, forel en mosselen en tot vleessoorten als kip, kwartel en kalfsoesters, maar ook tot lamsvlees en gebakken of gegrild rundvlees. Als kazen zijn Nazareth, gruyère en abdijkaas de smaakpartners bij uitstek.

Leffe Bruin houdt dan weer van oesters en haring en ogenschijnlijk verrassende combinaties met chili con carne, coq au vin en cassoulet.

De volle smaak van Leffe Tripel komt zeker tot zijn recht bij foie gras, escargots, zuurkool en kazen als munster en epoisses.
Het fruitige karakter van Leffe Radieuse zorgt er dan weer voor dat ingrediënten met een uitgesproken smaak als gerookte zalm en schelvis, gekruid varkensvlees, magret de canard en kazen als roquefort en chester ten volle tot ontplooiing komen.

Wijnliefhebbers herkennen zeker in de smaakcombinaties van de Leffe Blond die van de Californische Chardonnay, met zijn botersmaak perfect passend bij de meeste visgerechten, of een grote rode Bordeaux, ideaal voor vele vleesgerechten. Leffe Bruin doet denken aan een rode Bourgogne of een pinot noir – eigenzinnig en tongstrelend – en Leffe Tripel heeft een parallelwijn in een witte Châteauneuf-du-Pape of in wijnen gebaseerd op de zeer geparfumeerde viognierdruif.

Maar je kan natuurlijk niet alleen Leffe drinken bij de maaltijd, je kan ook één van de vier variëteiten gebruiken bij de bereiding ervan.
In dit boek worden haast alle klassiekers geserveerd als Vlaamse karbonaden of tournedos met Leffe Bruin of varkens- of lamsgebraad met Leffe Blond, maar ook opmerkelijke nieuwigheden als courgette-pannenkoe-ken met Leffe Blond, kalfslever met Leffe Tripel of sabayon met Leffe Radieuse.

Aan u om kennis te maken met die verrassende en heerlijke gerechten.

LEFFE A TABLE

La cuisine à produits est actuellement très à la mode dans le monde culinaire. Dans ce contexte, on emploie des ingrédients naturels et de haute qualité dans la préparation de recettes pour y faire primer pleinement leur saveur.
La préparation de mets à la Leffe se situe parfaitement dans cette mode de 'basic cooking' (cuisine à base de produits particuliers). En premier lieu parce que la Leffe est une boisson idéale pour servir en accompagnement de toutes sortes de repas; en second lieu, parce que la Leffe se laisse parfaitement utiliser comme ingrédient dans bien des recettes.

En effet, la Leffe est brassée dans la vieille tradition comme une bière de haute fermentation, et avec une teneur en alcool d'au moins 6,5%. Cela fait que la bière avec ses quatre variétés – Blonde, Brune, Triple, Radieuse – est fort riche en arômes olfactifs et en sensations gustatives.

Ainsi par exemple, une Leffe Blonde est excellente avec toutes sortes de salades et de jambons (fumés); en outre, elle se marie très bien avec des poissons comme le cabillaud, la sole, le merlan et la truite, et les moules, et avec des viandes comme le poulet, la caille et le médaillon de veau, mais aussi avec l'agneau et le boeuf cuit ou grillé. Dans le domaine des fromages, le Nazareth,le gruyère et le fromage d'abbaye sont ses partenaires préférés.

En revanche, la Leffe Brune aime les huîtres et le hareng et aussi des combinaisons à première vue étonnantes, comme le chili con carne, le coq au vin et le cassoulet.

La saveur pleine de la Leffe Triple est mise en valeur avec le foie gras, les escargots, la choucroute et des fromages comme le Munster et l'Epoisses.

Le caractère fruité de la Leffe Radieuse met en évidence des ingrédients à saveur prononcée comme le saumon fumé, l'aiglefin, le porc épicé, le magret de canard et des fromages comme le Roquefort et le Chester.

Les amateurs de vin reconnaissent dans les combinaisons gustatives de la Leffe Blonde celles du Chardonnay californien, avec son goût de beurre, qui se marie parfaitement avec la plupart des mets de poissons; ou un grand Bordeaux rouge, idéal pour plusieurs mets de viande. La Leffe Brune fait penser à un Bourgogne rouge ou un pinot noir – au goût rebelle, caressant le palais – et la Leffe Triple trouve son analogie dans un Châteauneuf-du-Pape blanc ou dans les vins à base du viognier, qui est un raisin très parfumé.

Mais la Leffe n'est pas seulement une boisson à boire pendant le repas. On peut également employer ses quatre variétés dans la préparation de mets.
Dans ce livre on vous sert presque tous les classiques, comme les carbonnades flamandes ou le tournedos à la Leffe Brune; ou un rôti de porc ou d'agneau avec une Leffe Blonde; mais aussi des nouveautés remarquables comme des crèpes de courgettes à la Leffe Blonde, du foie de veau à la Leffe Triple ou un sabayon à la Leffe Radieuse.

A vous de faire la connaissance de ces repas étonnants et délicieux.

Voorgerechten
Hors-d'œuvres

Uientaart met gerookt spek

150 g bladerdeeg • 4 uien • 400 g gerookt spek • 50 g boter • rijst

BEREIDING

- Snipper de uien en laat ze glazig worden in de boter.
- Rol het bladerdeeg uit tot een ronde lap, leg het deeg in een ovenvorm en prik een paar gaatjes in de deegbodem. Voeg na het deeg in de taartvorm een laagje rijst toe, om het rijzen te voorkomen. Verwijder de rijst na de baktijd.
- Bak de taartvorm op 180°.
- Ontdoe het gerookte spek van kraakbeen en zwoerd en snijd er dunne plakjes van.
- Verdeel de uien en het spek over het bladerdeeg en zet nog 2 minuten in de oven.
- Meteen opdienen.

Lekker met een Leffe Radieuse.

Tarte à l'oignon et au lard fumé

150 g de feuilletage • 4 oignons • 400 g de poitrine fumée • 50 g de beurre • riz

PRÉPARATION

- Eplucher et émincer les oignons, les faire suer au beurre dans un sautoir.
- Abaisser le feuilletage en un disque, piquer. Après avoir étalé la pâte dans le moule à tarte, ajouter une couche de riz pour éviter que la pâte ne lève. Enlever le riz après le temps de cuisson.
- Cuire à blanc à 180°.
- Débarrasser la poitrine des cartilages et de la couenne et tailler en tranches fines.
- Répartir les oignons puis le lard et repasser deux minutes à four chaud.
- Servir sans attendre.

Servir avec une Leffe Radieuse.

Lamsschouder met Marokkaanse kruiden in gelei

1 lamsschouder • 500 g botten en afsnijdsels (aan de slager vragen) • 2 eetlepels *raz el hanout* (Marokkaans kruidenmengsel) • 1 ui • 1 worteltje • 1 takje selderie • 1 l bruine kalfsfond • 1 pot chutney uit een Oosterse winkel

BEREIDING

- Wrijf de lamsschouder ruim in met peper en zout, en wentel het vlees dan door de *raz el hanout*.
- Braad het vlees zachtjes aan.
- Doe de in stukken gesneden groenten erbij en de botten en afsnijdsels.
- Braad alles nogmaals aan en blus af met de bruine kalfsfond.
- Laat 7 uur in de oven staan op zeer lage temperatuur (100°).
- Neem de schouder eruit en breng hem over in een met huishoudfolie beklede schaal.
- Ontvet en zeef de jus.
- Giet de jus over de schouder. De jus zal stollen tot gelei.
- Haal de schouder de volgende dag uit de schaal, snijd er plakken van en serveer met de chutney.

Lekker met een Leffe Tripel.

Compote d'agneau de sept heures aux épices à couscous

1 épaule d'agneau de lait • 500 g d'os et parures • 2 cuillères à soupe de *raz el hanout* • 1 oignon • 1 carotte • 1 branche de céleri • 1 litre de fond de veau brun • 1 pot de chutney acheté en épicerie orientale

PRÉPARATION

- Assaisonner copieusement de sel et de poivre l'épaule, puis la rouler dans le *raz el hanout*.
- Rôtir doucement en cocotte.
- Rajouter la garniture aromatique, les os et les parures; rissoler de nouveau, dégraisser et mouiller au fond brun.
- Cuire sept petites heures à four très doux (100°).
- Décanter, dégraisser l'épaule et la mouler dans une terrine chemisée d'un papier film.
- Verser le jus dessus qui va prendre en gelée.
- Le lendemain, démouler, couper des tranches et servir avec le chutney.

Servir avec une Leffe Triple.

Gamba's met sinaasappelboter

6 gamba's p/persoon • 4 sinaasappels • 2 snufjes saffraan • 250 g boter • visbouillon

BEREIDING

- Kook de gamba's 3 minuten in de visbouillon.
- Pers de sinaasappels uit.
- Kook het sinaasappelsap met de saffraan in en klop er de boter door.
- Proef en breng zonodig op smaak.
- Haal de kop van de gamba's en splits de staart.
- Leg ze op een bakplaat, verdeel er wat snippers boter over en zet 5 minuten in de hete oven.
- Meteen opdienen met de saus er apart bij.

Lekker met een Leffe Blond.

Gambas au beurre d'orange

6 gambas • 4 oranges • 2 pincées de safran pistils • 250 g de beurre • un court bouillon de poisson

PRÉPARATION

- Ebouillanter les gambas au court bouillon durant 3 minutes.
- Presser les oranges, en faire réduire le jus avec le safran et monter au beurre, rectifier.
- Détacher la tête et fendre les queues des gambas, mettre sur plaque, beurrer et passer à four chaud pendant 5 minutes.
- Servir sans attendre avec sauce à part.

Servir avec une Leffe Blonde.

Tartaar van roze garnalen, Thaïse rijst met karamel

12 roze garnalen • 1/4 eetlepel verse gember • 1 eetlepel gehakte koriander • 1 ui • 125 g rijst • 3 dl kokend water • 1 sjalotje • bouillonextract • 1 eetlepel balsamico • 1 Leffe Bruin • 1 teentje knoflook • 25 cl room

BEREIDING

- Snijd het sjalotje fijn en doe het in een pan samen met de Leffe Bruin, de balsamico, en het vleesextract.
- Laat inkoken tot de vloeistof een stroperige karamelsaus wordt.
- Snipper de ui en fruit hem in wat boter in een pan die geschikt is voor de oven.
- Voeg er de rijst bij en het kokende, gezouten water en laat 15 minuten in de oven garen op 175° met het deksel op de pan.
- Breng de room aan de kook met het doorgesneden teentje knoflook.
- Pel de garnalen en hak ze fijn, samen met de gember, koriander, de olijfolie en het zout.
- Doe de tartaar in een cocktailglas.
- Schep er de rijst op, vermengd met de knoflookroom.
- Giet er de karamelsaus over.

Serveer met een Leffe Radieuse.

Tartare de crevette rose, risotto Thaï au caramel de Leffe Brune

12 crevettes roses • 1/4 de cuillère de gingembre frais • 1 cuillère de coriandre concassée • 1 oignon • 125 g de riz Thaï • 3 dl d'eau bouillante • 1 échalote • glace de viande • 1 cuillère de vinaigre balsamique • 1 bouteille de Leffe Brune • 1 gousse d'ail • 25 cl de crème

PRÉPARATION

- Eplucher et émincer l'échalote, ajouter la Leffe Brune, le vinaigre balsamique et la glace de viande.
- Laisser réduire jusqu'à ce que le liquide devienne une sauce caramel épaisse.
- Eplucher et ciseler l'oignon, suer au beurre en cocotte, ajouter le riz et l'eau bouillante salée, cuire quinze minutes au four (175°) à couvert.
- Faire bouillir la crème avec l'ail épluché et dégermé.
- Décortiquer les crevettes et tailler en tartare au couteau, assaisonner avec du gingembre, de la coriandre, de l'huile d'olive et de sel.
- Dresser le tartare dans un verre à cocktail.
- Poser dessus le riz égrainé et mélangé à la crème d'ail, rectifier et napper avec le caramel de Leffe.

Servir avec une Leffe Radieuse.

Sint-Jakobsvruchten, appelmarmelade met vanille

6 mooie Sint-Jakobsvruchten • 1 Golden Delicious • 1 Granny Smith
1 vanillestokje • 1 eetlepel ingekookte balsamico

BEREIDING

- Bereid de compote door de appels in kleine dobbelsteentjes te snijden, en ze snel tot compote te koken, samen met het in vieren gespleten vanillestokje.
- Haal het vanillestokje eruit en laat het gedurende 1 uur in de oven drogen op 100°.
- Verdeel de Sint-Jakobsvruchten in tweeën, bak ze, en maak er een spiesje van met de vanillestokjes.
- Strooi er grof zeezout over.
- Leg ze op de compote en giet er een dun straaltje balsamico rond.

Serveer met een Leffe Blond.

Noix de Saint-Jacques, marmelade de pommes à la vanille

6 très belles noix de coquilles Saint-Jacques • 1 pomme golden • 1 pomme granny • 1 bâton de vanille • 1 cuillère à soupe de vinaigre balsamique réduit

PRÉPARATION

- Préparer la compote en taillant les pommes en petite brunoise, les compoter peu de temps avec la gousse fendue en quatre dans la longueur.
- Récupérer le bâton de vanille, la sécher au four à 100° durant 1 heure.
- Divisez les noix de Saint-Jacques en deux, les poêler et les monter en brochette avec la vanille, assaisonner de fleur de sel.
- Dresser sur la compote et tirer un cordon de vinaigre sur le tour.

Servir avec une Leffe Blonde.

Torentje van zalm met rammenas

4 moten zalm van 120 g • 2 kleine rammenassen • 1 potje dikke room • 1 citroen

BEREIDING

- Snijd de moten in drie plakken en geef ze 10 minuten in een rookkast. Daardoor komt de smaak het beste tot zijn recht. Raadpleeg anders je vishandelaar.
- Pers de citroen uit en voeg de room toe, breng op smaak.
- Snijd de rammenas in kleine dobbelsteentjes en strooi over de zalm.
- Zet 5 minuten in een lauwwarme oven (niet te gaar laten worden!)
- Stapel zalm en rammenas op elkaar en serveer op de room.

Serveer met een Leffe Tripel.

Millefeuille de saumon et radis noir

4 pavés de saumon de 120 g • 2 petits radis noirs • 1 petit pot de crème épaisse • 1 citron

PRÉPARATION

- Détailler les pavés en trois épaisseurs, et passer les tranches 10 minutes au fumoir (facultatif). Ceci en améliorera le goût. Sinon, consulter votre marchand de poisson.
- Presser le citron et l'ajouter à la crème, assaisonner.
- Tailler le radis en brunoise et parsemer sur le saumon.
- Passer 5 minutes à four tiède (ne pas surcuire!).
- Monter en millefeuille et servir sur la crème.

Servir avec une Leffe Triple.

Scampi's met Leffe Bruin

24 scampi's • 8 champignons • 2 plakjes spek, fijngesneden • 2 kleine stronkjes witlof • 1 sjalotje • 200 ml verse room • 1 tomaat • peterselie • 1 flesje Leffe Bruin • 2 eetlepels olijfolie

BEREIDING

- Laat het sjalotje in de olijfolie glazig worden.
- Doe de scampi's erbij en bak ze 5 minuten mee.
- Doe de champignons erbij, de gesneden witlof, de spekjes.
- Giet er de halve fles Leffe Bruin bij en de verse room en laat nog 5 minuten staan.
- Dien op in schaaltjes en versier met een partje tomaat en de gehakte peterselie.

Serveer met een Leffe Bruin.

Scampis à la Leffe Brune

24 scampis • 8 champignons • 2 tranches de lard • 2 petits chicons • 1 échalote • 200 ml de crème fraîche • tomate • persil • 1 Leffe Brune • 2 cuillères à soupe d' huile d'olives

PRÉPARATION

- Faire suer à l'huile d'olive l'échalote, ajouter les scampis, cuire 5 minutes, ajouter les champignons, les chicons, les lardons.
- Mouiller avec 1/2 bouteille de Leffe Brune, la crème fraîche et cuire encore 5 minutes.
- Servir dans des cassolettes et garnir de quartiers de tomate et parsemer de persil.

Servir avec une Leffe Brune.

Farandole van Belgische kazen

pompernikkel (zwart roggebrood) • volkorenbrood • wit brood • Luikse perensiroop • 50 g geweekte rozijnen • 80 g Château d'Arville kaas • 80 g kaas van Loo • 80 g Rubenskaas • 40 g Hervekaas • 50 g boter.

Voor de afwerking: • 1/2 krop rode sla • 80 g veldsla • 40 g knolselder • 4 kerstomaatjes • 2 cl olie • 2 cl citroensap • 20 g pistachenoten • 1 eetlepel gehakte peterselie.

BEREIDING

- De geweekte rozijnen en de in blokjes gesneden kaas onder de boter mengen.
- De verkregen massa in een vorm drukken en in de koelkast plaatsen tot het mengsel hard genoeg geworden is om te snijden.
- De verschillende broden snijden.
- Met behulp van een uitsteekvorm ovale vormen uitduwen.
- Elk sneetje insmeren met Luikse stroop.
- De boterhammetjes beleggen met de kaasmengeling.
- De slasoorten zorgvuldig wassen, snijden en op smaak brengen met olie en citroensap.

AFWERKING

De kaasboterhammetjes in een waaiervorm op het bord schikken en versieren met de slasoorten, de noten en de kerstomaatjes.

Serveer met een Leffe Bruin.

Farandole de fromages belges

pumpernickel • pain complet • pain blanc • sirop liégeois de poires • 50 g de raisins trempés • 80 g de fromage Château d'Arville • 80 g de fromage de Loo • 80 g de fromage de Rubens • 40 g de fromage de Herve • 50 g de beurre.

Pour la finition: 1/2 laitue rouge • 80 g de mâche • 40 g de céleri-rave • 4 petites tomates • 2 cl d'huile • 2 cl de jus de citron • 20 g de pistaches • 1 cuillère à soupe de persil haché.

PRÉPARATION

- Mélanger les raisins trempés et les fromages coupés en cubes avec le beurre. Presser la masse ainsi obtenue dans un moule et mettre au frigo jusqu'à ce que le mélange soit suffisamment ferme pour être coupé.
- Couper les différents pains.
- Couper le mélange raffermi en formes ovales. Les enduire de sirop liégeois.
- Couvrir les tartines du mélange de fromages.
- Laver les différentes salades avec soin, les couper et assaisonner d'huile et de jus de citron.

Finition

Disposer les tartines au fromage en éventail sur une assiette et orner des différentes laitues, de pistaches et de tomates cerises.

Servir avec une Leffe Brune.

Terrine van bietjes met charolais en Leffe Tripel

1 Charolais kaasje • 2 rode bieten • 1/4 flesje Leffe Tripel • olijfolie • dragon, bieslook, kervel

BEREIDING

- Snijd de kaas en de bieten in plakken van 1 centimeter.
- Bekleed een schaaltje met huishoudfolie en leg hier om en om de plakjes kaas en biet in.
- Laat een nacht rusten in de koelkast.
- Maak een vinaigrette met de Leffe Tripel, zout, peper en olijfolie.
- Hak de kruiden fijn.
- Haal de bieten/kaasterrine uit de schaal en snijd er plakken van met een dun mes, dat u voor het snijden in heet water hebt gedompeld.
- Schik de plakken op borden en bestrooi met grof zeezout en versgemalen peper.
- Giet er een ruime hoeveelheid vinaigrette over en geef er de gehakte verse kruiden bij.

Serveer met een Leffe Tripel.

Compressée de betterave et charolais fermier, Triple vinaigrette

1 fromage de charolais frais fermier • 2 betteraves • 1/4 de bouteille de Leffe Triple • huile d'olive • estragon, ciboulette, cerfeuil

PRÉPARATION

- Couper le fromage de charolais et les betteraves en tranches d'un centimètre et monter en terrine en chemisant celle-ci de papier film.
- Laisser reposer au frais une nuit.
- Préparer la vinaigrette à votre goût avec la Leffe Triple, sel, poivre et huile d'olive.
- Préparer les herbes.
- Démouler la terrine et couper avec un couteau à lame fine trempée à l'eau chaude.
- Dresser sur une assiette et assaisonner les tranches de fleur de sel et de poivre du moulin.
- Assaisonner généreusement de vinaigrette, ajouter la salade d'herbes.

Servir avec une Leffe Triple.

Abbaye de
Leffe
Leffe
Leffe
Leffe
Leffe
BELLE-VUE

Hoofdgerechten
Plats

8

Eend met Leffe

1 Barbarie-eend • 5 dl Leffe Bruin • 250 g champignons • 0,5 dl jenever • 2 sjalotjes • 1 dl verse room • 1 eierdooier • 40 g boter • 2 eetlepels olie • gehakte peterselie • zout, peper • maïzena (desgewenst)

BEREIDING

- Doe de olie in een pan en braad de eend goed aan tot ze aan alle kanten goudbruin is gekleurd.
- Schenk er de jenever over en flambeer. Zet apart.
- Fruit de gesnipperde sjalotjes in de boter in een grote pan.
- Doe de in plakjes gesneden champignons erbij en laat 2 à 3 minuten meefruiten; doe dan de eend erbij.
- Giet er de Leffe Bruin over en voeg zout en peper toe.
- Doe het deksel op de pan, maar sluit de pan niet helemaal, en laat nog ongeveer 50 minuten zachtjes sudderen. Draai de eend halverwege eens om.
- Doe de verse room en de fijngehakte peterselie erbij, breng op smaak, en laat nog 5 minuten of langer sudderen.
- Haal de pan van het vuur en klop de eierdooier door de saus.
- Dien meteen op en geef er krieltjes of gebakken aardappeltjes bij.

Serveer met een Leffe Bruin.

Canette à la Leffe

1 canette de Barbarie • 5 dl de Leffe Brune • 250 g de champignons • 0,5 dl de genièvre • 2 échalotes • 1 dl de crème fraîche • 1 jaune d'oeuf • 40 g de beurre • 2 cuillères à soupe d'huile • un peu de persil haché • du sel et du poivre • fécule de maïs si nécessaire

PRÉPARATION

- Faire dorer la canette dans une poêle contenant l'huile, retournez-la pour qu'elle soit bien colorée de tous les côtés.
- Arroser avec le genièvre et flamber. Mettre de côté.
- Faire revenir les échalotes hâchées dans une grande cocotte contenant le beurre fondu.
- Ajouter les champignons émincés, laisser revenir 2 à 3 minutes, puis déposer la canette dans la cocotte.
- Mouiller avec la bière (la Leffe Brune), saler et poivrer.
- Couvrir en laissant le couvercle légèrement entrouvert, et laisser mijoter environ 50 minutes à feu doux en retournant la canette à mi-cuisson.
- Ajouter la crème fraîche et le persil hâché, assaisonner si nécessaire et laisser mijoter encore 5 minutes ou plus.
- Hors du feu, ajouter le jaune d'oeuf battu.
- Servir bien chaud avec pommes noisettes ou pommes de terre rissolées.

Servir avec une Leffe Brune.

Kalfsrib met kweeperen

1 kleine kalfsrib • wat kalfsbotten en afsnijdsels (aan de slager vragen) • 2 glazen Leffe Blond • 1/2 l kalfsfond • 1 worteltje • 1 ui • 1 takje selderie • 1 kg kweeperen • suiker

BEREIDING

- Kruid de kalfsrib en braad hem aan alle kanten aan.
- Neem het vlees uit de pan.
- Doe de botten en afsnijdsels in de pan, voeg het kleingesneden worteltje en de gesnipperde ui toe, evenals de fijngehakte selderie.
- Leg de kalfsrib erop en laat 20 minuten sudderen op een laag vuur.
- Neem de kalfsrib eruit, wikkel hem in aluminiumfolie en houd warm.
- Gooi het braadvet weg, blus met de Leffe en voeg de kalfsfond toe. Laat inkoken en breng eventueel nog op smaak.
- Schil intussen de kweeperen, kook ze 20 minuten in water met een beetje suiker.
- Laat ze op het laatst even meesudderen in de saus. Schik ze rond de kalfsrib en dien op.

Serveer met een Leffe Blond.

Carré de veau braisé aux coings

1 petit carré de veau • os et parures à demander au boucher • 2 verres de Leffe Blonde • 1/2 l de fond de veau • 1 carotte • 1 oignon • 1 branche de céleri • 1 kg de coings • sucre

PRÉPARATION

- Rissoler en cocotte le carré assaisonné sur toutes les faces.
- L'ôter de la cocotte.
- Mettre dans celle-ci les os et parures, rissoler, ajouter carotte, oignon et céleri taillés en mirepoix.
- Remettre le carré et cuire à four doux pendant vingt minutes.
- Débarrasser le carré et l'envelopper dans une feuille d'aluminium, le tenir au chaud. Dégraisser la cocotte, déglacer à la Leffe et mouiller au fond de veau, réduire, rectifier.
- Entretemps éplucher les coings, les blanchir dans de l'eau à peine sucrée pendant vingt minutes.
- Finir de cuire dans le fond de braisage et dresser harmonieusement.

Servir avec une Leffe Blonde.

Zuurkool met steur en appeltjes

4 steurfilets van 160 g • 250 g gekookte zuurkool natuur • 4 stevige appeltjes • 2 flesjes Leffe Blond • 100 g boter

BEREIDING

- Schil de appels en bak ze in wat boter.
- Kruid de steurfilets en leg ze op de zuurkool in een pan met een scheutje Leffe Blond.
- Kook de rest van de Leffe in en werk er de boter door. Doe er eventueel nog wat zout en peper bij.
- Voeg de appeltjes erbij wanneer de vis bijna gaar is.
- Dien op en geef de saus er apart bij.

Serveer met een Leffe Blond.

Choucroute d'esturgeon et pommes

4 pavés d'esturgeon de 160 g • 250 g de choucroute cuite nature • 4 petites pommes fermes • 2 bouteilles de Leffe Blonde • 100 g de beurre

PRÉPARATION

- Eplucher les pommes et cuire au beurre.
- Assaisonner l'esturgeon et déposer sur la choucroute dans une cocotte avec un peu de Leffe Blonde.
- Réduire le reste de Leffe et monter au beurre, rectifier.
- Lorsque le poisson est presque cuit, ajouter les pommes.
- Servir dans le plat avec la sauce à part.

Servir avec une Leffe Blonde.

Tournedos met eekhoorntjesbrood, prei à la crème

4 mooie tournedos • 1 flesje Leffe Bruin • 1 glas bruine fond • 300 g vers eekhoorntjesbrood of een handvol gedroogde • 4 preien • 1 glas groentebouillon • 200 g dikke room • 2 theelepels gezeefde bloem • boter • 8 aardappels in de schil • zout en peper

BEREIDING

- Bak de paddestoelen in de boter; voeg vervolgens de bruine fond toe en het bier. Laat een vijftal minuten sudderen.
- Snijd de preien in stukken van 4 centimeter en smoor ze in de boter.
- Giet er de bouillon bij en laat 10 minuten stoven met het deksel op de pan.
- Kook de aardappels in gezouten water.
- Schep de prei uit de pan met een schuimspaan.
- Maak een witte saus met het kookvocht, de room en de bloem. Laat even koken. Doe de prei weer in de saus.
- Bak de tournedos op een hoog vuur snel aan beide zijden, schenk de biersaus erover en laat even sudderen.
- Strooi er zout en peper over.
- Serveer op verwarmde, wat diepere borden zodat de saus rijkelijk over het vlees en de aardappelen geschonken kan worden.

Serveer met een Leffe Bruin.

Tournedos aux cèpes, poireaux à la crème

4 beaux tournedos • 1 bouteille de Leffe Brune • 1 verre de fond brun • 300 g de cèpes frais ou une poignée de cèpes séchés • 1 botte de poireaux • 1 verre de bouillon de légumes • 200 g de crème épaisse • 2 cuillères à café de farine tamisée • beurre • 8 pommes de terre en chemise • du sel et du poivre

PRÉPARATION

- Faites revenir les cèpes dans le beurre, ajouter le fond brun et la bière. Laisser mijoter cinq minutes.
- Couper les poireaux en tronçons de 4 cm de long et les faire revenir dans le beurre chaud.
- Mouiller avec le bouillon et faire cuire 10 min à couvert.
- Cuire les pommes de terre dans l'eau salée.
- Retirer les poireaux avec une écumoire et préparer la sauce blanche avec le jus de cuisson, la crème épaisse, la farine. Faire bouillir légèrement. Remettre les poireaux dans la sauce.
- Saisir les tournedos à vif sur chaque face dans le beurre très chaud, verser la sauce à la bière sur la viande et laisser mijoter quelques instants.
- Saler et poivrer.
- Servir dans des assiettes chaudes et légèrement creuses afin de pouvoir bien napper de sauce la viande et les pommes de terre.

Servir avec une Leffe Brune.

Wokgerecht van varkensvlees met champignons

1 kg varkensvlees • 500 g verse champignons • 4 sjalotjes • zout, peper, tijm • 2 eetlepels basterdsuiker • 2 flesjes Leffe Bruin

BEREIDING

Het gebruik van een wok wordt aangeraden; gebruik anders een braadpan.

- Snijd het vlees in dobbelstenen. Bak ze in weinig vet.
- Haal ze uit de pan als ze goudbruin zijn.
- Snipper de sjalotjes en fruit ze, samen met de in plakjes gesneden champignons.
- Voeg het gebraden vlees bij de champignons.
- Giet er de Leffe Bruin bij; voeg de basterdsuiker en de tijm toe.
- Strooi er zout en peper naar smaak over.
- Laat alles op een laag vuur sudderen.
- Giet er eventueel nog wat Leffe bij om meer saus te krijgen.
- U kunt de saus desgewenst binden met maïzena.
- Opdienen met aardappelkroketjes en sla met vinaigrette.

Serveer met een Leffe Bruin.

Blanquette de porc aux champignons, sauce grand-mère

1 rôti de porc de 1 kg • 500 g de champignons frais • 4 échalotes • sel, poivre, thym • 2 cuillères à soupe de cassonade • 2 bouteilles de Leffe Brune

PRÉPARATION

L'utilisation du WOK est conseillée, sinon utilisez une cocotte.

- Couper les morceaux de viande (le rôti) en cubes.
- Les faire revenir dans un peu de matière grasse.
- Une fois les morceaux dorés, les retirer.
- Hâcher les échalotes en petits morceaux, y ajouter les champignons coupés en lamelles. Laisser cuire.
- Ajouter les morceaux de viande dorés aux champignons.
- Arroser le tout de la Leffe Brune.
- Ajouter la cassonade, le thym.
- Saler et poivrer à votre convenance.
- Laisser le tout mijoter à feu doux
- Arroser de Leffe pour obtenir plus de sauce.
- Si vous le souhaitez, reliér la sauce à la maïzena Express.
- Servir avec des pommes dauphines et une salade à la vinaigrette.

Servir avec une Leffe Brune.

Gevulde en gestoofde witlof met ham

4 stronkjes witlof • 50 g kalfsfilet • 50 g eendenfilet • 50 g varkensfilet • 50 g kippenlever • 50 g varkensborst of buikvlees • 4 mooie plakken Parmaham • 4 blaadjes salie • sap van 1 citroen • 2 snufjes suiker

BEREIDING

- Maak de witlof schoon en kook de stronkjes 15 minuten in gezouten water met het sap van de citroen en de suiker.
- Draai het kalfs-, eenden-, varkens- en kippenvlees door een (fijne) vleesmolen, vermeng alles goed en breng op smaak.
- Laat de witlof uitlekken en halveer ze.
- Vul ze met de vleesvulling.
- Leg de witlofhelften weer op elkaar, leg er een blaadje salie op.
- Laat 20 minuten braden in de oven.
- Neem de witlofstronkjes er voorzichtig uit en wikkel ze in een plak Parmaham.
- Schik ze op een mooie schotel met het gezeefde braadvocht.
- Zet nog 2 minuten in de oven alvorens op te dienen.

Lekker met een Leffe Tripel.

Chicons braisés au jambon, farcie aux cinq viandes

4 chicons • 50 g de filet de veau • 50 g de filet de canard • 50 g de filet de porc • 50 g de foie de volaille • 50 g de gorge de porc • 4 belles tranches de jambon de Parme • 4 feuilles de sauge • 1 citron • 2 pincées de sucre

PRÉPARATION

- Nettoyer les chicons et les cuire à l'eau bouillante salée avec le citron et le sucre durant quinze minutes.
- Hacher veau, canard, volaille, foie et gorge en utilisant une grille fine, bien mélanger et assaisonner.
- Egoutter les chicons et les couper en deux, les farcir du mélange.
- Reformer les chicons, déposer une feuille de sauge.
- Braiser au four vingt minutes.
- Décanter et envelopper les chicons d'une tranche de jambon de Parme.
- Débarrasser dans un joli plat avec le braisage rectifié.
- Passer deux minutes au four, puis servir.

Servir avec une Leffe Triple.

Duif met rozenblaadjes

2 grote duiven (laat ze schoonmaken door de poelier) • 1 mooie onbespoten roos • 12 kleine uitjes • 200 g groene linzen • 3 flesjes Leffe Radieuse • 1/2 liter bruine kalfsfond • een druppeltje rozenwater • een kruidenboeket (bouquet garni) van worteltjes, uien, selderie

BEREIDING

- Zet de linzen op in koud water. Laat samen met het bouquet garni, wat peperkorrels en een snufje zout koken.
- Braad de duiven in de oven kort aan; ze moeten nog erg rosé blijven!
- Haal het vlees van de botten, hak het karkas in stukken, en doe het met wat vet in een pan om te laten bruinen.
- Blus af met de Leffe Radieuse.
- Laat de saus inkoken, giet er de kalfsfond bij, laat weer inkoken, zeef en proef of de saus genoeg gekruid is.
- Leg de duiven weer in deze saus om verder te laten garen.
- Bak de uitjes met rozenwater, boter, zout en suiker.
- Schik ze op de linzen, pluk de blaadjes van de roos en sprenkel er nog wat druppels rozenwater over.

Serveer met een Leffe Radieuse.

Pigeon aux pétales de rose

2 gros pigeons préparés par votre volailler • 1 belle rose de jardin non traitée • une douzaine de petits oignons • 200 g de lentilles vertes du Puy • 3 bouteilles de Leffe Radieuse • 1/2 l de fond de veau brun • une larme d'eau de rose • un bouquet garni: carottes, oignons, céleri

PRÉPARATION

- Cuire les lentilles dans l'eau frémissante une quinzaine de minutes, en démarrant à froid avec le bouquet, du poivre en grains, et une pincée de sel.
- Rôtir les pigeons au four vert-cuits (c'est-à-dire très rosés!).
- Désosser, concasser les carcasses, les mettre dans un sautoir avec un peu de matière grasse pour les colorer.
- Déglacer à la Leffe Radieuse, réduire, mouiller du fond, réduire, rectifier l'assaisonnement, remettre les pigeons dans cette sauce pour finir la cuisson.
- Cuire les petits oignons à brun avec eau, beurre, sel et sucre.
- Dresser harmonieusement sur les lentilles, effeuiller la rose et arroser de quelques gouttes d'eau de rose.

Servir avec une Leffe Radieuse.

Puree van snoek en rucola

200 g snoekfilet • 1 eiwit • 200 g room • 500 g aardappels • 100 g rucola • boter

BEREIDING

- Schil en kook de aardappels.
- Prak ze met boter tot puree en vorm er "koeken" van, elk van 6 cm doorsnee en 3 cm hoog. Houd warm.
- Vermeng de snoekfilets, het eiwit en de kruiden, voeg de room toe en doe de massa in de keukenrobot.
- Draai de massa door de zeef en vorm er ook koeken van. Houd dezelfde afmeting aan als bij de puree.
- Wikkel er een stukje huishoudfolie rond en stoom ze in een pot met rooster, water en deksel in 20 minuten gaar.
- Leg op elk bord een koek van aardappelpuree, en daarbovenop een koek van de vispuree.
- Versier met een beetje rucola voorzien van een druppeltje olijfolie.
- Het gehele torentje eventueel verbergen achter een paar *pommes gaufrettes* (wafelaardappels).

Lekker met een Leffe Blond.

Parmentier de brochet et salade de roquette

200 g de brochet • 1 blanc d'oeuf • 200 g de crème liquide • 500 g de pomme de terre • 100 g de roquette • beurre

PRÉPARATION

- Eplucher et cuire les pommes de terre, écraser, beurrer, dresser cette purée en "galettes" de 6 cm de diamètre, sur 3 cm de hauteur. Réserver au chaud.
- Mélanger les filets de brochet, le blanc d'oeuf et les épices, ajouter la crème fraîche et verser la masse dans un robot de cuisine.
- Passer au tamis, mouler en cylindres de mêmes dimensions.
- Envelopper dans un morceau de feuille aluminium et cuire à la vapeur dans une casserole avec grille, de l'eau et un couvercle.
- Dresser en déposant sur chaque assiette une "galette" de purée de pomme de terre, poser une "galette" de brochet dessus et décorer avec un peu de roquette juste liée à l'huile d'olive.
- On peut masquer le tour du parmentier avec quelques pommes gaufrettes.

Servir avec une Leffe Blonde.

Rundvlees 'maison' gearomatiseerd met Leffe en gekonfijte limoen

1 kg contrefilet van rundvlees • 6 eetlepels bloem • 40 g margarine • 1 kg in ringen gesneden uien • 1/2 l Leffe Blond • 5 eetlepels witte of rode port • 2 eetlepels azijn • zout, zeezout en peper • 2 limoenen • 2 eetlepels griessuiker • 4 grote aardappelen

BEREIDING

- Laat het vlees marineren in de Leffe, de azijn en de port.
- Dep het vlees droog met keukenpapier. Wentel het vlees door de bloem, het zout en de peper.
- Beboter de ovenschotel of de ovenplaat en leg het vlees erin.
- Snij de uien in dunne ringen en doe ze bij het vlees.
- Laat in het midden van de oven gedurende 40 minuten braden op 160°.
- Schil intussen de limoenen en warm de schillen even in een pan met suiker tot ze stroperig worden. Houd apart.
- De ongeschilde aardappelen in zeer dunne schijfjes snijden, afdrogen en frituren tot chips. Bestrooien met zeezout.
- De saus laten inkoken en serveren bij het vlees.
- Versier met de gekonfijte limoenschillen.

Serveer met een Leffe Blond.

Boeuf maison aromatisé à la Leffe et au citron vert confit

1 kg de contrefilet de boeuf • 6 cuillères à soupe de farine • 40 g de margarine • 1 kg d'oignons coupés en rondelles • 1/2 litre de Leffe Blonde • 5 cuillères de porto blanc ou rouge • 2 cuillères de vinaigre • sel, sel marin et poivre • 2 citrons verts • 2 cuillères de sucre semoule • 4 grandes pommes de terre

PRÉPARATION

- Mariner la viande dans la Leffe, le vinaigre et le porto.
- Sécher la viande avec un essuie-tout.
- Mélanger la farine, le sel et le poivre et rouler la viande dans ce mélange.
- Beurrer le plat à four ou la plaque de four et y déposer la viande.
- Couper les oignons en fines rondelles. Les ajouter à la viande.
- Faire cuire la viande au milieu du four (préchauffé à 160°) pendant 40 minutes.
- Entre-temps, éplucher les citrons verts. Chauffer les zestes un instant dans une poêle avec du sucre jusqu'à ce qu'ils deviennent sirupeux. Mettre à l'écart.
- Couper les pommes de terre non épluchées en très fines lamelles. Sécher et frire jusqu'à obtenir des chips. Saler avec le sel marin.
- Réduire la sauce et servir avec la viande.
- Garnir avec les zestes de citrons verts confits.

Servir avec une Leffe Blonde.

Tongreepjes met sinaasappelwitlof

2 grote, schoongemaakte tongen zonder het donkere vel • 4 stronkjes witlof • 2 sinaasappels • zout • suiker

BEREIDING

- Kook de stronkjes witlof 10 minuten in water met een beetje zout en suiker.
- Schil de sinaasappels, dompel de schillen drie keer in kokend water. Pers de sinaasappels uit.
- Bak de tong, fileer, en verdeel in vier porties.
- Snijd de goed uitgelekte witlof in de lengte door.
- Doe een klontje boter in een pan en leg er de witlof in met de snijkant naar beneden.
- Giet er het sinaasappelsap over en doe er de schillen bij. Laat inkoken tot de saus begint te karameliseren.
- Leg de tongfilets op een schotel en schik er de witlof en de saus omheen.

Lekker met een Leffe Tripel.

Sole au plat et chicon caramelisé "tout orange"

2 grosses soles débarrassées de la peau noire • 4 chicons • 2 oranges • sel • sucre

PRÉPARATION

- Effeuiller et nettoyer les chicons, les blanchir dix minutes avec eau, sel et un peu de sucre.
- Récupérer les zestes des oranges, blanchir trois fois et récupérer le jus.
- Cuire les soles meunière, lever les filets, découper en quatre portions.
- Couper en deux les chicons égouttés et pressés.
- Beurrer un sautoir, ajouter les endives face coupée contre le beurre, verser le jus d'orange et les zestes, réduire jusqu'à caramélisation.
- Dresser harmonieusement les tronçons de sole, entourer des endives et de leur jus de cuisson.

Servir avec une Leffe Triple.

Gemarineerde spare-ribs met limoen en basterdsuiker; gebrande polenta

8 spare-ribs • 1 eetlepel basterdsuiker • 4 limoenen • 4 flesjes Leffe Bruin • 25 cl bruine kalfsfond • 200 g polenta (griesmeel) • 25 cl room • 50 g boter • 1/4 l melk • zout, nootmuskaat

BEREIDING

- Zet de spare-ribs een dag van tevoren in een marinade van basterdsuiker, limoensap en Leffe Bruin.
- Dep ze de volgende dag goed droog en grill ze gedurende 20 à 25 minuten afhankelijk van het gewicht van het vlees.
- Leg ze daarna in een braadslee, voeg de marinade en de kalfsfond toe en laat braden in de oven tot de vloeistof bijna geheel verdampt is en het vlees een mooie bruine kleur heeft.
- Zet de polenta eerst even in de oven om er een mooi bruin kleurtje aan te geven. Breng een kwart liter water en een kwart liter melk aan de kook met 50 g boter en wat zout en nootmuskaat.
- Neem de pan van het vuur en strooi er de polenta in. Laat vervolgens minstens 30 minuten zachtjes koken.
- Voeg er op het laatst de room aan toe. Goed roeren om een mooie gladde structuur te krijgen.

Serveer met een Leffe Bruin.

Travers de porc mariné cassonade-citron vert, polenta crémeuse torréfiée

8 travers de porc • 1 cuillère de cassonade • 4 citrons verts • 4 bouteilles de Leffe Brune • 25 cl de fond veau brun • 200 g de polenta moyenne • 25 cl de crème liquide • 50 g de beurre • 1/4 l de lait • muscade

PRÉPARATION

- La veille, faire mariner les travers avec la cassonade, le jus de citron vert et la Leffe Brune.
- Le lendemain, les tamponner à l'aide de papier absorbant et griller pendat 20 à 25 minutes, selon le poids de la viande. Puis placer dans une plaque à rôtir, ajouter la marinade et le fond de veau brun et cuire au four; la réduction doit être quasi complète et la couleur caramel.
- Passer la polenta (semoule) au four pour lui donner une couleur légèrement brune, la cuire ensuite en amenant à ébullition un quart de litre d'eau, un quart de litre de lait, cinquante grammes de beurre avec du sel et de la muscade.
- Hors du feu, ajouter la polenta en pluie et cuire doucement au minimum trente minutes.
- En fin de cuisson, ajouter la crème et bien travailler pour la lisser.

Servir avec une Leffe Brune.

Zachte Vacherin in de korst

1 klein Vacherin kaasje • 500 g aardappelen • 1 flesje Leffe Radieuse • 1 krop krulsla • 250 g spekjes

BEREIDING

- Steek met behulp van een lepel een stuk uit het hart van het kaasje, dat u in zijn korst laat zitten.
- Schenk er een glas Leffe Radieuse in.
- Zet minstens 20 minuten in de oven op 220° tot de korst gegratineerd is.
- Kook intussen de aardappels in de schil.
- Serveer met krulsla en gebakken spekjes.

Lekker met een Leffe Radieuse.

Vacherin des monts d'or "à la coque"

1 mini vacherin • 500 g de pommes de terre • 1 bouteille de Leffe Radieuse • 1 salade frisée • 250 g de lardons

PRÉPARATION

- Retirer une bonne cuillère au coeur du vacherin en le laissant dans sa boîte.
- Remplacer le coeur par un verre de Leffe Radieuse.
- Mettre au four pendant 20 minutes à 220°C jusqu'à l'obtention d'une croûte gratinée.
- Pendant ce temps, cuire les pommes de terre en robe des champs.
- Servir avec une salade frisée et les lardons blanchis et rissolés.

Servir avec une Leffe Radieuse.

Eendenborst met Leffe Bruin en garnituur

4 eendenborsten (250 gr) • 250 g spekjes • 4 aardappelen • 4 worteltjes • 1 courgette • 12 jonge uitjes • 4 stronkjes witlof • een paar blaadjes rucola • 4 trosjes aalbessen • wilde bloemenhoning • boter • peper en zout • peterselie • 2 flesjes Leffe Bruin

BEREIDING

- Kook de aardappelen in de schil, en de worteltjes.
- Laat de uitjes, witlof en de courgette kort koken en uitlekken.
- Snijd de courgette in 4 stukken en hol ze uit.
- Vul ze met rucola en aalbessen.
- Bak de spekjes en neem ze uit de pan.
- Braad de eendenborst aan en laat verder garen in 30 cl Leffe Bruin, samen met de witlof.
- Snijd intussen een kapje van de aardappels en hol ze uit.
- Prak het aardappelkruim fijn met de worteltjes, de boter, zout, peper, peterselie en een gedeelte van de spekjes.
- Vul de aardappelen met deze puree.
- Haal de eendenborsten en de witlof uit de pan en blus af met 30 cl Leffe Bruin en de bloemenhoning.
- Doe de rest van de spekjes en de uien erbij.
- Schep de saus op borden, leg er de in plakken gesneden eendenborst op, garneer met een gevulde aardappel, 1 stronkje witlof, een stuk courgette.

Serveer met een Leffe Bruin.

Magret de canard à la Leffe Brune et ses accompagnements

4 magrets de canard (250 gr) • 250 gr lardons • 4 pommes de terre • 4 jeunes carottes • 1 courgette • 12 jeunes oignons • 4 chicons • quelques feuilles de roquette • 4 grappes de groseilles rouges • gelée de pissenlits • beurre • poivre et sel • persil • 4 bouteilles de Leffe Brune

PRÉPARATION

- Cuire les pommes de terre en chemise et les carottes. Nettoyer les jeunes oignons, chicons, courgette et ensuite les blanchir et les égoutter.
- Couper la courgette en 4 tronçons et les évider.
- Les farcir de roquette et de groseilles rouges.
- Rissoler les lardons. Les enlever.
- Fricasser les magrets et les laisser cuire avec 30 cl de Leffe Brune et les chicons.
- Entre-temps couper le capuchon des pommes de terre et les évider.
- Ecraser avec les carottes, du beurre, sel, poivre, persil et une partie des lardons.
- Farcir les pommes de terre avec cette purée.
- Retirer les magrets et les chicons et déglacer la sauce avec 30 cl de Leffe Brune et le miel de pissenlits.
- Ajouter les lardons et les oignons.
- Napper les assiettes de sauce, y mettre le magret coupé en fines tranches, garnir l'assiette d'une pomme de terre farcie, 1 chicon, un tronçon de courgette et bon appétit.

Servir avec une Leffe Brune.

Dorade met honing, venkel en anijsboter

4 moten dorade van 160 g • 2 venkelknollen • 1 eetlepel honing • 1 liter visbouillon • 1 sjalotje • 1 theelepel groene anijszaadjes • 100 g boter • olijfolie

BEREIDING

- Schil de venkelknollen en halveer ze.
- Laat ze in een gesloten pan in een klontje boter smoren met een beetje visbouillon.
- Snipper het sjalotje, laat even meesmoren en voeg er dan de helft van de anijszaadjes bij.
- Laat even staan en doe er de rest van de visbouillon bij.
- Laat inkoken en klop er de rest van de boter door. Proef of de saus op smaak is.
- Kerf het vel in van de dorade, bestrijk de stukken met honing en strooi er de rest van de anijszaadjes over.
- Laat zachtjes in een pan bakken met de velkant naar beneden in de olijfolie en bestrooi de vleeskant met peper en zout.
- Serveer de vis met het vel naar boven. Leg de venkel erbij en geef er een beetje van de saus bij.
- Serveer de rest van de saus in een sauskom.

Lekker met een Leffe Tripel.

Daurade caramélisée sur peau, fenouil au beurre anisé

4 pavés de daurade de 160 g • 2 fenouils • 1 cuillère à soupe de miel • l fumet de poisson • 1 échalote • 1 cuillère à café d'anis vert en graines • 100 g de beurre

PRÉPARATION

- Eplucher et effeuiller les fenouils, couper en deux, cuire au beurre à couvert avec un peu de fumet.
- Emincer l'échalote, suer au beurre, ajouter la moitié des graines d'anis, suer encore, ajouter le fumet de poisson, réduire, monter au beurre, rectifier l'assaisonnement.
- Inciser les daurades côté peau, napper de miel et saupoudrer du reste de graines d'anis.
- Cuire doucement à la poêle côté peau avec l'huile d'olive, assaisonner côté chair.
- Dresser côté peau visible avec le fenouil et un peu de sauce, présenter le reste en saucière.

Servir avec une Leffe Triple.

Tarbot met Leffe Tripel

4 dikke moten tarbot van elk 200 g • 2 flesjes Leffe Tripel • 1 ui, 1 takje selderie en 1 liter witte wijn (voor het visextract) • 2 sjalotjes • 200 g boter

BEREIDING

- Maak de dag van tevoren een geconcentreerde visbouillon. Stoof een ui en wat fijngehakte selderie. Laat de graten en de afsnijdsels van de tarbot ook even smoren in boter. Voeg er dan een liter water en een liter witte wijn bij. Laat ver inkoken en zet koud weg.
- De volgende dag is dit een doorzichtige laag geworden die er als gelei uitziet : dit is ons visextract. Zeef het visextract.
- Snipper het sjalotje en verdeel het over een ingevette ovenschaal.
- Leg de tarbot in de schaal, schenk er de Leffe Tripel over en laat garen in de oven.
- Neem de vis uit de schaal, zeef het kookvocht, doe er het visextract bij, laat inkoken, werk er de boter door, controleer of de saus goed gekruid is en schenk over de vis.

Lekker met een Leffe Tripel.

Turbot de ligne à la Leffe Triple

4 tronçons de turbot bien épais de 200 g • 2 bouteilles de Leffe Triple • 1 litre de vin blanc • 2 échalotes • 200 g de beurre

Pour la glace de poisson: 1 oignon • 1 branche de céleri • 1 litre de vin blanc

PRÉPARATION

- La veille, préparer une glace de poisson avec un oignon et une branche de céleri émincés.
- Faire suer au beurre puis ajouter l'arête et les parures de turbot.
- Laisser suer sans coloration puis ajouter un litre de vin blanc et un litre d'eau.
- Laisser réduire , filtrer et mettre au frais.
- Le lendemain, récupérer la partie transparante ayant consistance d'une gelée: c'est ce qu'on appelle une glace de poisson. Tamiser l'extrait de poisson.
- Emincer l'échalote, en parsemer un plat beurré.
- Déposer dans ce plat le turbot, mouiller avec la Leffe Triple et cuire au four.
- Après cuisson, décanter, mouiller avec la glace de poisson, réduire, monter au beurre, filtrer, rectifier et napper le turbot.

Servir avec une Leffe Triple.

Konijn met pruimen en lasagne van knolselder

1 in stukken gehakt konijn • 4 grote uien • 2 eetlepels bloem • 3/4 flesje Leffe Bruin • 1 doosje pruimen • 1 eetlepel braadboter • 1/4 knolselder • aardappelen • zout, peper, tijm, laurier en rozemarijn

BEREIDING

- Stoof de in grote stukken gesneden uien in een klontje bakboter. Zet opzij.
- Braad de stukken konijn aan en haal ze door de bloem. Voeg er de uien, zout, peper, laurier, tijm en rozemarijn aan toe.
- Giet het bier erbij en een halve liter water zodat het vlees onder komt te staan. Laat minstens 1 uur stoven.
- Voeg de pruimen toe en laat een half uur meestoven.
- Snijd de knolselder in grote, dunne plakken en kook ze 2 minuten.
- Kook de aardappelen in gezouten water.
- Leg op de borden eerst de plakken knolselder, vervolgens de aardappelen, de stukjes konijn met pruimen en tenslotte weer een laagje knolselder zodat je een lasagna bekomt.

Serveer met een Leffe Bruin.

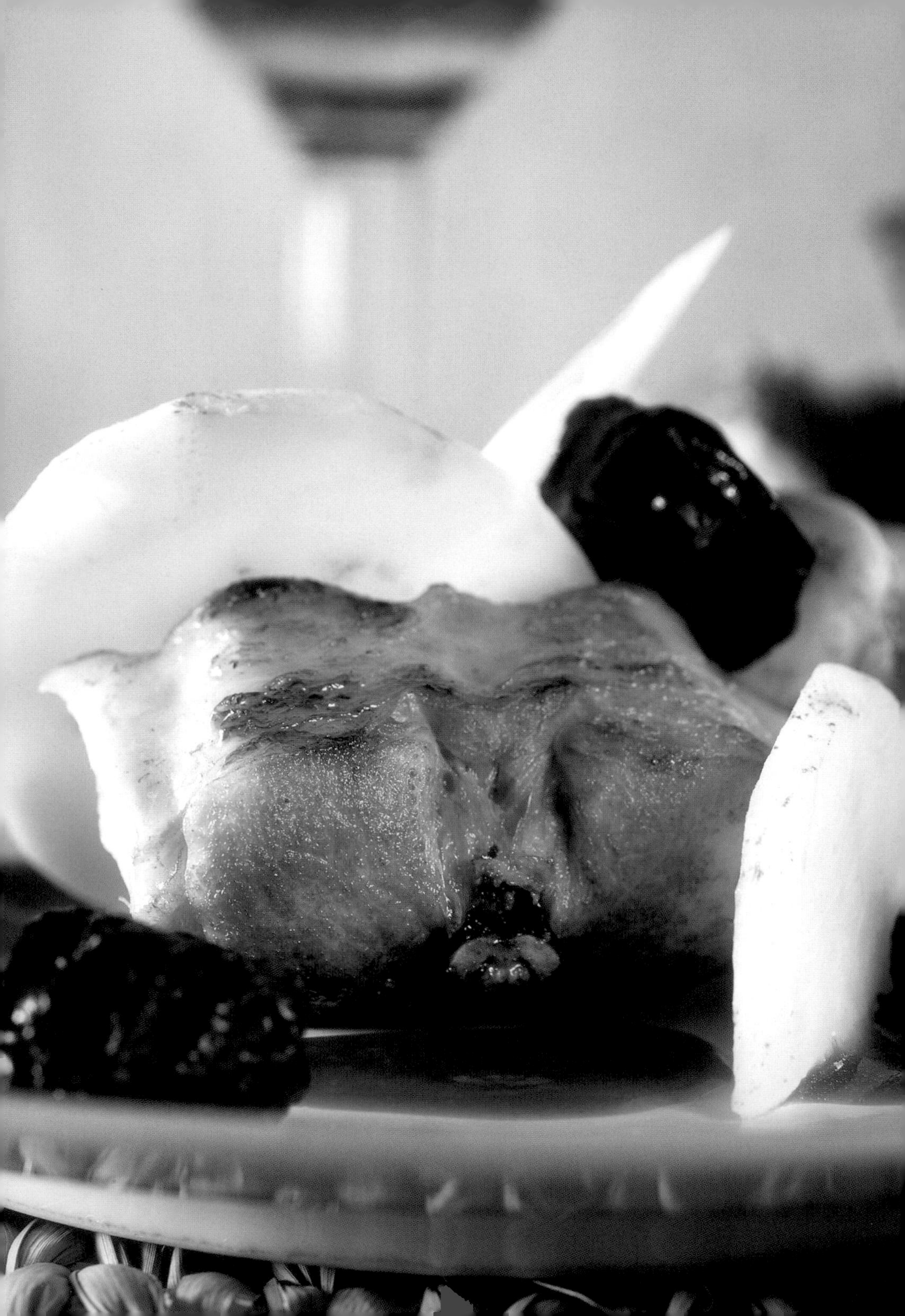

Lapin aux prunes et lasagne de céleri-rave

1 lapin coupé en morceaux • 4 grands oignons • 2 cuillères à soupe de farine • 3/4 bouteille de Leffe Brune • 1 boîte de prunes • 1 cuillère à soupe de beurre • 1/4 céleri-rave • pommes de terre • sel, poivre, thym, laurier et romarin

PRÉPARATION

- Cuire les oignons coupés en grands morceaux dans un peu de beurre. Mettre à l'écart.
- Cuire les morceaux de lapin et les passer à la farine.
- Ajouter les oignons, le sel, le poivre, le laurier, le thym et le romarin.
- Ajouter la bière et 1/2 litre d'eau pour bien couvrir le tout. Laisser mijoter au moins 1 heure.
- Ajouter les prunes au lapin et laisser mijoter encore une demi-heure.
- Couper le céleri-rave en grandes tranches fines et les faire cuire pendant deux minutes.
- Cuire les pommes de terre dans l'eau salée.
- Monter les assiettes en commençant par les tranches de céleri-rave, ensuite les pommes de terre, les morceaux de lapin aux prunes et terminer par une nouvelle couche de tranches de céleri-rave de façon à obtenir des lasagnes.

Servir avec une Leffe Brune.

Gebraden lamsschouder met salie en Leffe Blond

1 kg lamsschouder • 160 g champignons • 1 teentje knoflook • 0,5 dl verse room • 2 eetlepels boter • 1 eetlepel salie • 1 flesje Leffe Blond • 1 eetlepel peterselie • Maïzena Express • zout en peper

BEREIDING

- Braad de schouder rondom aan in 2 eetlepels boter.
- Giet er 1/3 van het bier bij en kruid het vlees met zout, peper en een eetlepel fijngehakte salie.
- Laat in gesloten pan op een laag vuur 40 à 45 minuten staan.
- Doe er het geperste teentje knoflook bij en de in plakjes gesneden champignons.
- Laat nog 10 minuten sudderen en giet er de rest van het bier bij.
- Haal het vlees vervolgens uit de pan en houd warm.
- Zet het vuur hoog, schenk de verse room erbij en bind de saus met een beetje Maïzena Express. Doe er op het laatst de fijngehakte peterselie bij.
- Geef er tagliatelle bij of puree.

Opgelet : Salie is een bijzonder aromatische plant met een scherpe, wat bittere smaak. Maak er dus maar matig gebruik van om de smaak niet te laten overheersen.

Serveer met een Leffe Blond.

Rôti d'épaule d'agneau à la sauge et à la Leffe Blonde

1 kg de rôti d'épaule (agneau) • 160 g de champignons • 1 éclat d'ail • 0,5 dl de crème fraîche • 2 cuillères à soupe de beurre • 1 cuillère à soupe de sauge • 1 bouteille de Leffe Blonde • 1 cuillère à soupe de persil • maïzena express • sel et poivre

PRÉPARATION

- Faire chauffer 2 cuillerées à soupe de beurre dans une poêle et saisir le rôti de tous les côtés.
- Verser 1/3 de la bière blonde et épicer la viande de sel, de poivre et d'une cuillerée à soupe de sauge.
- Couvrir et laisser cuire à feu doux pendant 40 à 45 minutes.
- Intégrer l'éclat d'ail émincé et les champignons coupés en lamelles. Poursuivre la cuisson pendant 10 minutes encore et verser la bière restante.
- Retirer ensuite la viande de la poêle et la garder au chaud. Augmenter le feu, verser la crème fraîche et lier avec de la maïzena express.
- Terminer avec le persil finement haché.
- Accompagner de tagliatelles ou de purée.

La sauge est une plante très aromatique à la saveur piquante et un peu amère. Utilisez-la donc avec modération pour éviter que sa saveur ne prédomine.

Servir avec une Leffe Blonde.

Kipschnitzel met Leffe Bruin

4 kipschnitzels (platgeslagen gepaneerde kipfilets) • 2 flesjes Leffe Bruin • 4 wortels • 2 uien • 4 eetlepels mosterd • tijm, laurier, zout en peper • boter • bloem • 500 g verse pasta • geraspte Nazareth

BEREIDING

- Snij de wortels in schijfjes en snipper de uien. Stoof in boter. Bestuif met bloem, meng het geheel en overgiet met bier.
- Voeg tijm, laurier, peper en zout en een lepeltje mosterd toe.
- Braad de kipschnitzels aan in boter. Twee minuten bakken aan elke kant is genoeg om de schnitzel een mooie gouden kleur te geven.
- Leg de schnitzels op een nestje spaghetti gevuld met de groentesaus.
- Bestrooi met de Nazarethkaas en gefrituurde spaghetti.
- Die spaghetti maakt u door de friteuse te verhitten tot 180°C en de spaghetti rechtstreeks uit het pak 2 à 3 minuten te laten bakken in de olie.

Serveer met een Leffe Bruin.

Escalope de poulet à la Leffe Brune

4 escalopes de poulet (filets aplatis, enrobés de chapelure) • 2 bouteilles de Leffe Brune • 4 carottes • 2 oignons • 4 cuillères à soupe de moutarde • thym, laurier, sel et poivre • beurre • farine • 500 g de pâtes fraîches • fromage de Nazareth râpé

PRÉPARATION

- Couper les carottes en tranches et hâcher les oignons.
- Faire sauter au beurre.
- Saupoudrer de farine, mélanger le tout et arroser de bière.
- Ajouter le thym, le laurier, le poivre et le sel, ainsi qu'une cuillerée de moutarde.
- Faire revenir les escalopes de poulet dans du beurre. (Deux minutes de cuisson de chaque côté suffisent pour donner à l'escalope une belle couleur dorée).
- Dresser les escalopes sur un nid de spaghettis, rempli de la sauce aux légumes.
- Achever avec le vieux fromage de Nazareth et les spaghettis frits.
- Pour obtenir ces spaghettis, chauffer la friteuse à 180°C, couper le feu et laisser frire les spaghettis pendant 2 à 3 minutes dans l'huile à friture.

Servir avec une Leffe Brune.

Kalfslever met Leffe

4 mooie lapjes kalfslever • 4 kroppen sla • 50 g spek • 100 g boter • 50 g worteltjes • 2 uien • 1/4 liter bouillon • 2 dl Leffe Tripel • olijfolie • 4 aardappelen • zout, zeezout, peper • bouquet garni (tijm, peterselie, bieslook)

BEREIDING

- Blancheer (koken in kokend gezouten water) gedurende 10 minuten de kropjes sla, waar u de buitenste blaadjes van verwijderd hebt.
- Doe de in blokjes gesneden spek, de wortels en de in ringen gesneden uien in een beboterde ovenschaal met deksel.
- Voeg hierbij de uitgelekte sla, de bouillon en enkele druppels Leffe.
- Kruiden met peper en zout.
- Voeg het kruidenboeket (bouquet garni) toe en laat ongeveer 1 uur garen.
- Laat in een pan de kalfslever zachtjes aankleuren met 50 g boter.
- Snijd intussen de aardappelen overlangs in plakken en maak hiervan 4 ronde taartjes door de schijfjes overlappend met de wijzers van de klok mee te schikken.
- Giet er wat olijfolie en zeezout over en bak ze in de oven af op 190° gedurende 25 minuten.
- Blus het braadvocht van de kalfslever met het overblijvende bier.
- Laat inkoken.
- Neem de pan van het vuur en voeg de boter toe in kleine stukjes.
- Schenk de saus over het gerecht.
- Serveer met de aardappeltaartjes.

Lekker met een Leffe Tripel.

Foie de veau à la Leffe

4 escalopes de foie de veau • 4 laitues • 50 g de lard • 100 g de beurre • 50 g de carottes • 2 oignons • 1/4 l de bouillon • 2 dl de Leffe Triple • huile d'olive • 4 pommes de terre • sel, sel marin, poivre • bouquet garni (thym, persil, ciboulette)

PRÉPARATION

- Prélever quelques feuilles de la partie extérieure des laitues. Blanchir (cuire dans de l'eau salée bouillante) les laitues lavées pendant 10 minutes.
- Mettre le lard coupé en cubes, les carottes et les oignons coupés en rondelles dans un plat à four beurré et laisser cuire sous couvercle.
- Ajouter la salade égouttée, le bouillon et quelques gouttes de Leffe.
- Assaisonner de poivre et de sel.
- Ajouter le bouquet garni et laisser cuire pendant environ 1 heure.
- Laisser brunir légèrement le foie de veau dans une poêle avec 50 g de beurre.
- Entre-temps, couper les pommes de terre en rondelles. En faire 4 tartes rondes en disposant les tranches dans le sens de l'horloge (les tranches se recouvrent partiellement).
- Arroser d'huile d'olive et de sel marin et cuire au four à 190° pendant 25 minutes.
- Déglacer le jus du foie de veau avec le reste de la bière.
- Laisser réduire.
- Ensuite, à côté du feu, ajouter le beurre en petits morceaux.
- Arroser l'ensemble avec cette sauce.
- Servir avec les gâteaux de pommes de terre.

Servir avec une Leffe Triple.

Kalfsniertjes met Leffe Bruin

4 kalfsniertjes • 2 flesjes Leffe Bruin • 2 klontjes kandijsuiker • 1 scheutje azijn • kalfsfond • bloem • een scheutje room • een klontje boter

Garnituur: • aardappelen met Provençaalse kruiden • 200 g sperzieboontjes • 200 g peultjes • 1 stronkje witlof • 8 worteltjes

BEREIDING

- Maak de niertjes schoon.
- Kruid ze en wentel ze door een beetje bloem.
- Braad ze rondom aan in zeer hete boter.
- Zet ze vervolgens in de oven op 200°C tot ze mooi rosé zijn.
- Houd warm.
- Ontvet de pan en blus met de azijn, het bier en de kandijsuiker.
- Laat tot een derde inkoken en voeg er dan de fond bij.
- Laat verder inkoken tot er een mooie saus is ontstaan en voeg er dan nog een eetlepel room bij en een beetje boter.

Serveer met een Leffe Bruin.

Rognons de veau à la Leffe Brune

4 rognons de veau • 2 bouteilles de Leffe Brune • 2 morceaux de sucre Candi • 1 filet de vinaigre • fond de veau • un peu de farine • un peu de crème + 1 noix de beurre • *Garniture:* pommes de terre cuites aux herbes provençales, 200 gr de haricots verts, 200 gr de petits pois mange-tout, 1 chicon, 8 jeunes carottes

PRÉPARATION

- Nettoyer les rognons de veau.
- Epicer les rognons et les rouler dans un peu de farine.
- Faire roussir des deux côtés dans le beurre très chaud.
- Faire cuire les rognons au four à 200°C pour une cuisson rosée.
- Les maintenir au chaud.
- Dégraisser, déglacer la casserole avec le vinaigre, la bière et le sucre Candi.
- Faire réduire jusqu'à 1/3 du volume et ensuite ajouter le fond.
- Encore réduire jusqu'à l'obtention d'une belle sauce et ajouter ensuite 1 cuillerée à soupe de crème fraîche et un peu de beurre.

Servir avec une Leffe Brune.

Kalfsvlees met Leffe Blond

800 g kalfslapjes
Marinade: • 2 flesjes Leffe • 1 glas azijn (150 ml) • 3 uien, in vieren gesneden en voorzien van een paar kruidnagels • 3 laurierblaadjes, een takje tijm • 1 fijngesneden worteltje • een paar jeneverbessen
Saus: • 75 ml halfvolle geconcentreerde melk • 125 g braadvocht • 0,5 eetlepel carobepoeder of 15g maïzena • zout en peper
Garnituur: • 8 halve peren uit blik, ongezoet • 8 eetlepels zoete rode bessenjam

BEREIDING

- Doe de ingrediënten voor de marinade bijeen en leg het vlees er een dag in te marineren op een koele plaats.
- Zeef daarna de marinade. Behoud de jus, de uien (zonder de kruidnagels), het worteltje en een paar jeneverbessen.
- Breng de marinade aan de kook en doe er één voor één de stukken vlees in. De marinade moet aan de kook blijven.
- Voeg zout en peper toe en laat ongeveer 45 minuten zachtjes pruttelen.

Saus:

- Neem 125 ml van het kookvocht en laat afkoelen.
- Doe het bindmiddel (het carobepoeder of de maïzena) in een klein pannetje en voeg er onder voortdurend roeren de geconcentreerde melk bij en het kookvocht, en breng aan de kook. Proef of de saus voldoende gekruid is.
- Serveer het vlees op een bord en schenk er de saus omheen, strooi er peterselie over. Leg er de halve peren bij met de rode bessenjam. Deze kunnen eventueel ook warm gemaakt worden.
- Geef er prei à la crème bij als groente.

Serveer met een Leffe Blond.

Veau à la bière de Leffe

800 g de blanquette de veau

Marinade: Le contenu de 2 bouteilles de bière de Leffe Blonde • 1 verre de vinaigre (150 ml) • 3 oignons coupés en quatre et piqués de clous de girofle • 3 feuilles de laurier, une branche de thym • une carotte émincée • quelques baies de genévrier

La sauce: 75 ml de lait demi-écrémé concentré • 125 g de jus de cuisson • une demi-mesurette de farine de caroube ou +/- 15 g de crème de maïs • un peu de sel et poivre (aussi pour la cuisson).

La garniture: 8 demi-poires conservées sans addition de sucre • 8 cuillères à soupe de compote d'airelles sucrée

PRÉPARATION

- Composer la marinade et mettre au frais la blanquette pendant une journée.
- Le lendemain, filtrer la marinade, conserver le jus filtré, les oignons débarassés des clous de girofle, la carotte, et quelques baies de genévrier.
- La cuisson. Plonger morceau par morceau dans la marinade bouillante (elle ne doit pas cesser de bouillir).
- Durée de cuisson, 3/4 h environ, ajouter un peu de sel et de poivre pour la cuisson.
- Préparation de la sauce: Prélever 125 ml de jus de cuisson et laisser refroidir.
- Utiliser un petit poêlon, verser la farine de caroube et progressivement ajouter le lait demi-écrémé concentré et le jus de cuisson sans cesser de fouetter le mélange, puis porter à ébullition. Rectifier l'assaisonnement.
- *Présentation:* entourer la viande de sauce, la parsemer de persil haché et des demi-poires avec la compote d'airelles. Celles-ci pourront être réchauffées dans leur jus de cuisson.
- *Accompagnement:* poireaux à la crème.

Servir avec une Leffe Blonde.

Leffe
Leffe
Leffe
Leffe
Leffe
Leffe
Leffe

Nagerechten
Desserts

Crème brûlée-brûlée

12,5 cl melk • 3,5 dl room • 125 g suiker • 5 eierdooiers • 25 g basterdsuiker

BEREIDING

- Laat 125 g suiker karameliseren door hem in een pannetje met een beetje water te laten smelten tot hij verkleurt. Niet roeren want anders kristalliseert de suiker. Voeg er dan de room bij.
- Laat afkoelen.
- Vermeng de melk met de eierdooiers, voeg de karamel toe.
- Zeef de vloeistof en doe over in kleine schaaltjes.
- Bak op 150° in de oven au bain marie.
- Laat afkoelen, strooi er de basterdsuiker over en karameliseer onder de grill of met een gasbrandertje tot de suiker een korstje wordt.
- Dien meteen op.

Serveer met een Leffe Tripel.

Crème brûlée-brûlée

12,5 cl de lait • 3,5 dl de crème • 125 g de sucre • 5 jaunes d'oeufs • 25 g de cassonade

PRÉPARATION

- Caraméliser 125 g de sucre presque brûlé. Pour ce faire, laisser cuire le sucre dans un peu d'eau jusqu'à ce que le sucre change de couleur. Ne pas mélanger, sinon le sucre se cristallise.
- Puis décuire à la crème, laisser tiédir.
- Mélanger le lait et les jaunes d'oeufs, ajouter le caramel, passer au chinois et cuire au four à 150° au bain marie dans de petits plats à oeufs.
- Laisser refroidir, ajouter la cassonade et caraméliser sous le grill ou à l'aide d'un petit chalumeau jusqu'à ce que le sucre forme une croûte mince.

Servir de suite avec une Leffe Triple..

Bladerdeegtaartje met fruit

150 g bladerdeeg • 100 g basterdsuiker • 1 glas Leffe Radieuse • 500 g fruit naar keuze (appels, peren, rozijnen, vijgen, kiwi's...)

BEREIDING

- Rol het bladerdeeg uit en bak het blind, dat wil zeggen, zonder garnering, tot het deeg begint te kleuren.
- Laat in een pan de suiker karameliseren en blus af met het glas Leffe Radieuse.
- Voeg het fruit stuk voor stuk bij de karamel: begin met het stevigste fruit en voeg de zachtste soorten het laatst toe. Laat tot compote koken.
- Schep deze compote op de taartbodem en zet hem 5 minuten in de oven.
- Leg er voor het serveren nog wat stukjes vers fruit op als versiering.

Serveer met een Leffe Radieuse.

Tarte feuilletée des vieux garçons

150 g de feuilletage • 100 g de cassonade • 1 verre de Leffe Radieuse • 500 g de fruits de votre choix (pommes, poires, raisins, figues, kiwis ...)

PRÉPARATION

- Etaler la pâte et la cuire à blanc, c'est-à-dire sans garniture et en lui donnant une légère coloration.
- Dans une casserole, caraméliser la cassonade et décuire en ajoutant le verre de Leffe Radieuse.
- Incorporer les fruits au fur et à mesure dans ce caramel: les plus fermes pour commencer, les plus moelleux ensuite et laisser compoter.
- Dresser cette compote sur le fond de tarte et passer 5 minutes au four.
- Terminer la cuisson en disposant harmonieusement des morceaux de fruits crus.

Servir avec une Leffe Radieuse.

Soufflé van pruimen en sabayon met Leffe Radieuse

250 g ontpitte pruimen • 25 g maïzena • 3 eieren (dooiers en eiwit scheiden) • 3 eierdooiers (voor de sabayon) • 75 g suiker • 250 g suiker • 2 dl Leffe Radieuse

BEREIDING

- Laat de pruimen een dag van tevoren weken in water.
- Mix de pruimen dan in de keukenmachine, voeg de maïzena toe en de 3 eierdooiers.
- Breng het mengsel aan de kook en houd het warm.
- Klop daarna de sabayon met de 3 andere eierdooiers, 75 g suiker en 2 dl Leffe Radieuse.
- Klop de 3 eiwitten stijf, werk er de suiker door, vermeng met de pruimenmassa en schep in kokertjes van vetvrij papier.
- Bak ze 12 minuten in de oven op 170°, verwijder het papier en zet de soufflés op de sabayon.

Serveer met een Leffe Radieuse.

Soufflé de pruneau et sabayon à la Leffe Radieuse

250 g de pruneaux dénoyautés • 25 g de maïzena • 3 oeufs (blancs et jaunes séparés) • 3 jaunes d'oeufs (pour le sabayon) • 75 g de sucre • 250 g de sucre • 2 dl de Leffe Radieuse

PRÉPARATION

- La veille faire tremper les pruneaux à l'eau.
- Le lendemain, mixer les pruneaux, ajouter le maïzena et les 3 jaunes, faire bouillir, laisser au chaud.
- Monter le sabayon avec les 3 jaunes d'oeufs supplémentaires et 75 g de sucre et 2 dl de Leffe Radieuse.
- Monter les 3 blancs en neige, incorporer le sucre comme pour une meringue, ajouter à la préparation de pruneaux et mouler dans des cylindres de papier sulfurisé.
- Cuire 12 minutes à 170°, déchirer le papier et dresser sur le sabayon.

Servir avec une Leffe Radieuse.

Nougatine, chocolademousse en amarenen, sabayon met Leffe Bruin

4 nougatinebakjes (kopen bij de bakker) • 3 eierdooiers • 75 g suiker • 2 dl Leffe Bruin • 150 g chocolade • 150 g room • 300 g stijfgeklopte slagroom • 16 amarena-kersen

BEREIDING

- Bereid de mousse door 150 g room aan de kook te brengen en over de in stukjes gebroken chocolade te gieten.
- Goed kloppen en er vervolgens voorzichtig de stijfgeklopte slagroom door spatelen.
- Schep de massa over in de nougatinebakjes.
- Druk drie kersen per bakje in de mousse.

Bereiding van de sabayon:

- Klop in een pan de Leffe, de eierdooiers en de suiker romig.
- Schep een lepel van het mengsel bovenop de bakjes.
- Laat de sabayon even kleuren onder de gril.
- Serveer op een bordje en versier met een kers.

Lekker met een Leffe Bruin.